효린파파의

즐겁게 따라 쓰면 저절로 완성되는

막 써지는 알파벳

성기홍(효린파파) 지음

· BOOK 1 ·

알파벳 A~E

Day 1 월 일

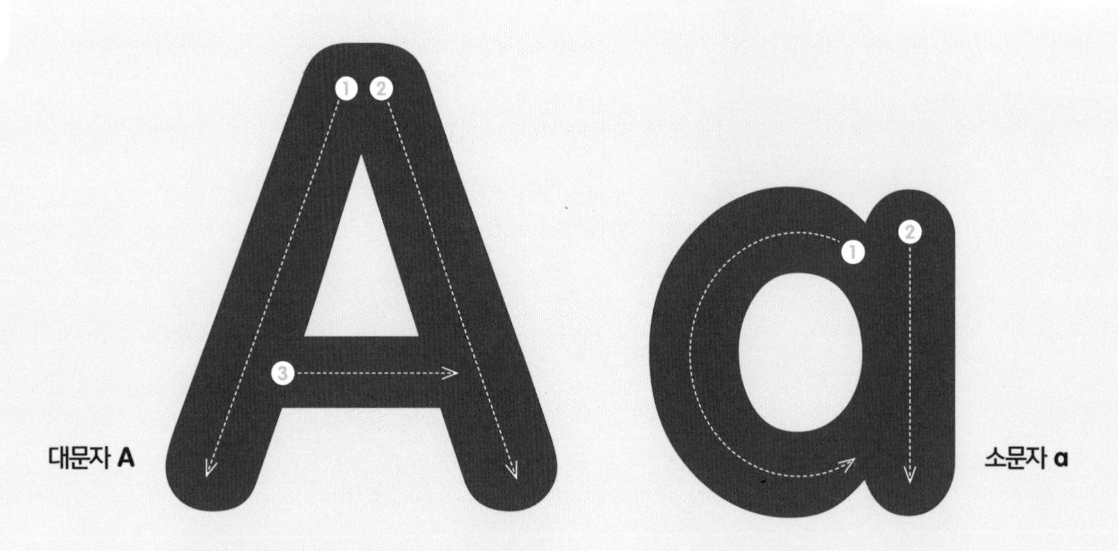

그림을 보고 알맞은 알파벳 스티커를 붙여 보세요.

대문자 A와 소문자 a를 순서에 맞게 따라 써 보세요.

단어를 소리 내어 말하고, 첫소리 글자에 색칠한 후 스티커를 붙여 보세요.

대문자 A와 소문자 a를 따라 써 보세요.

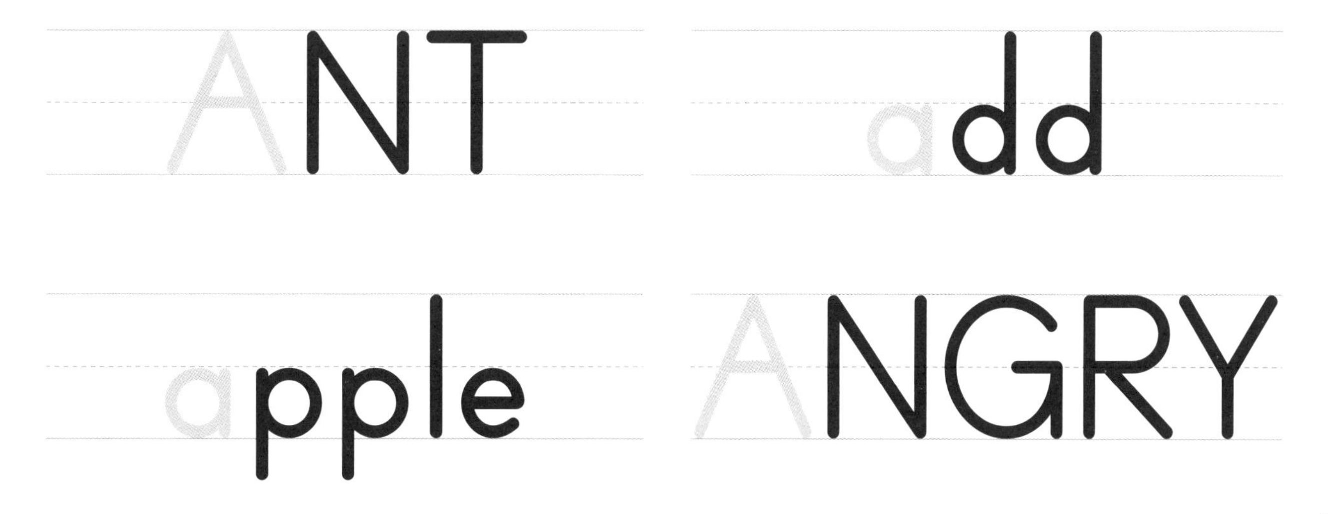

대문자 A와 소문자 a를 따라 쓰고, 단어에 알맞은 그림을 찾아 동그라미 해 보세요.

위에서 찾은 단어에 모두 들어 있는 알파벳을 찾아 대문자와 소문자를 쓰세요.

대문자

소문자

대문자 A와 소문자 a를 따라 쓰면서 그림에 알맞은 문장을 완성해 보세요.

An ant eats

an apple.

Day 2 월 일

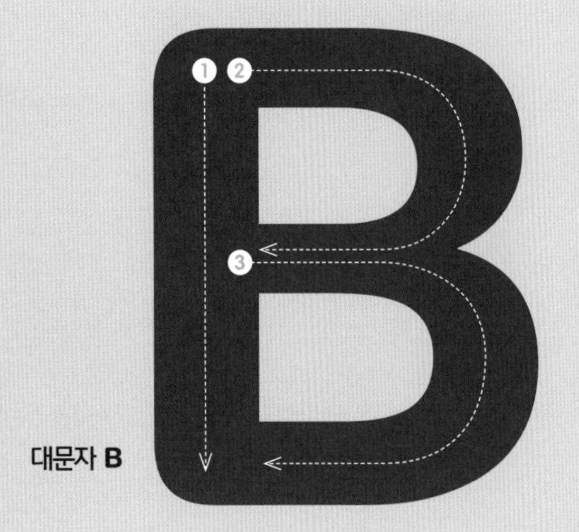

대문자 B

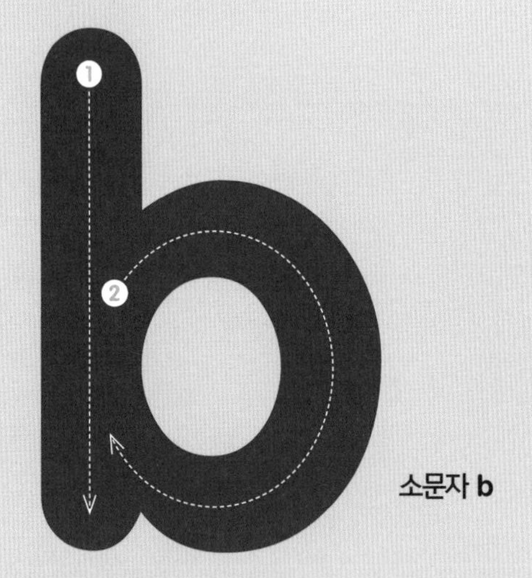

소문자 b

그림을 보고 알맞은 알파벳 스티커를 붙여 보세요.

B US

b ee

B IG

b low

대문자 B와 소문자 b를 순서에 맞게 따라 써 보세요.

B B B B B

b b b b b

단어를 소리 내어 말하고, 첫소리 글자에 색칠한 후 스티커를 붙여 보세요.

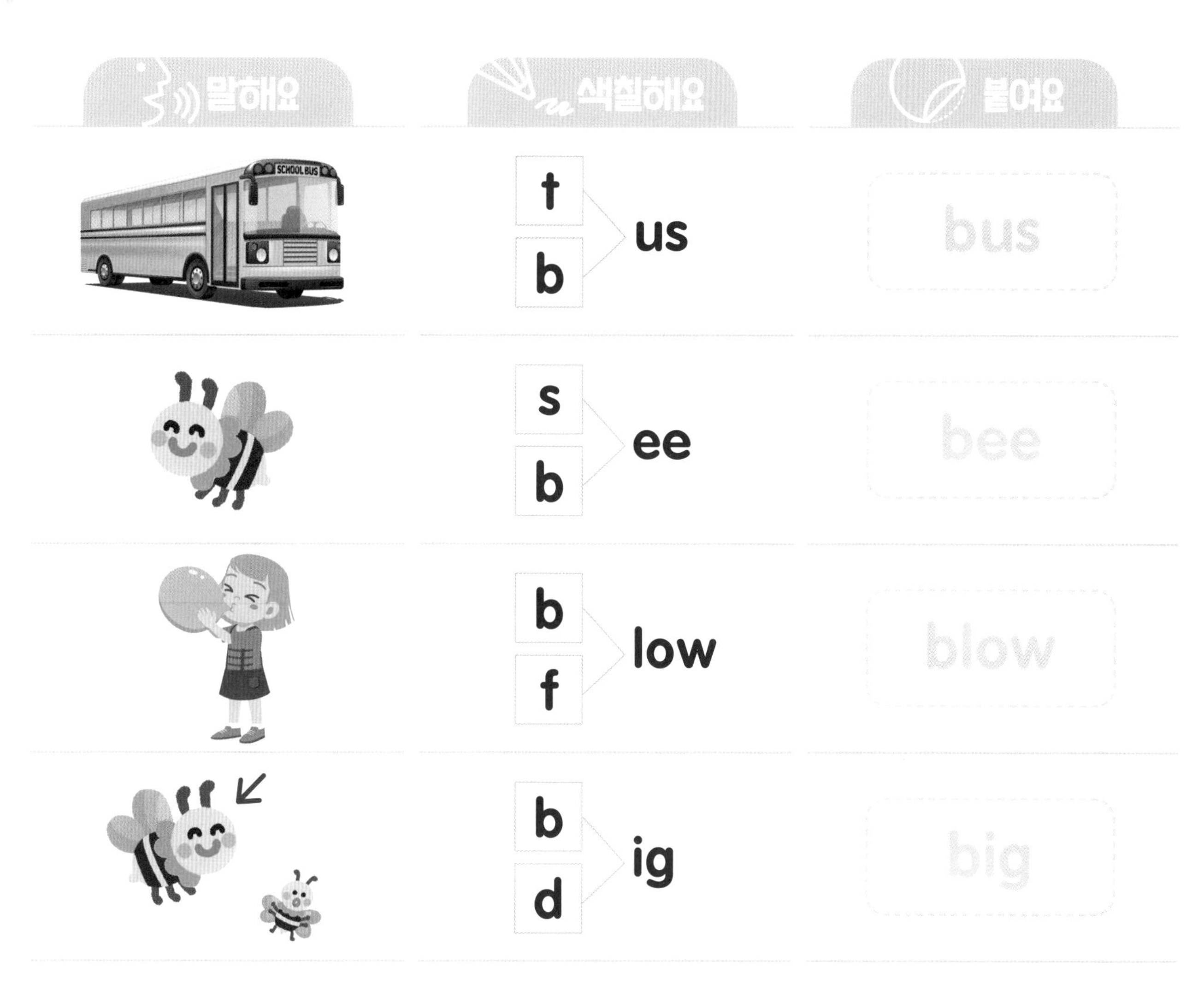

대문자 B와 소문자 b를 따라 써 보세요.

대문자 B와 소문자 b를 따라가며 꿀벌을 벌집으로 데려다주세요.

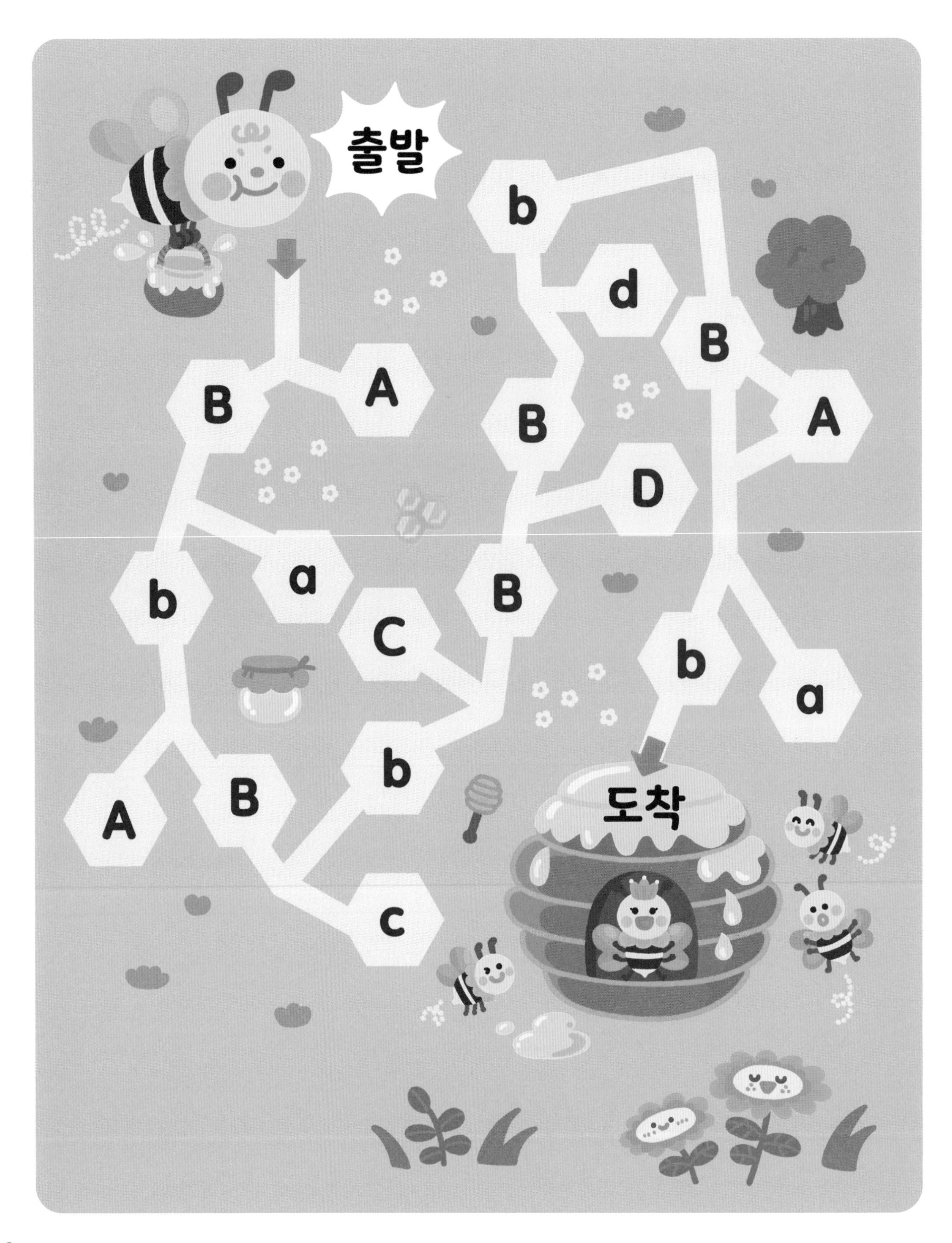

대문자 B와 소문자 b를 따라 쓰고 알맞은 그림과 연결해 보세요.

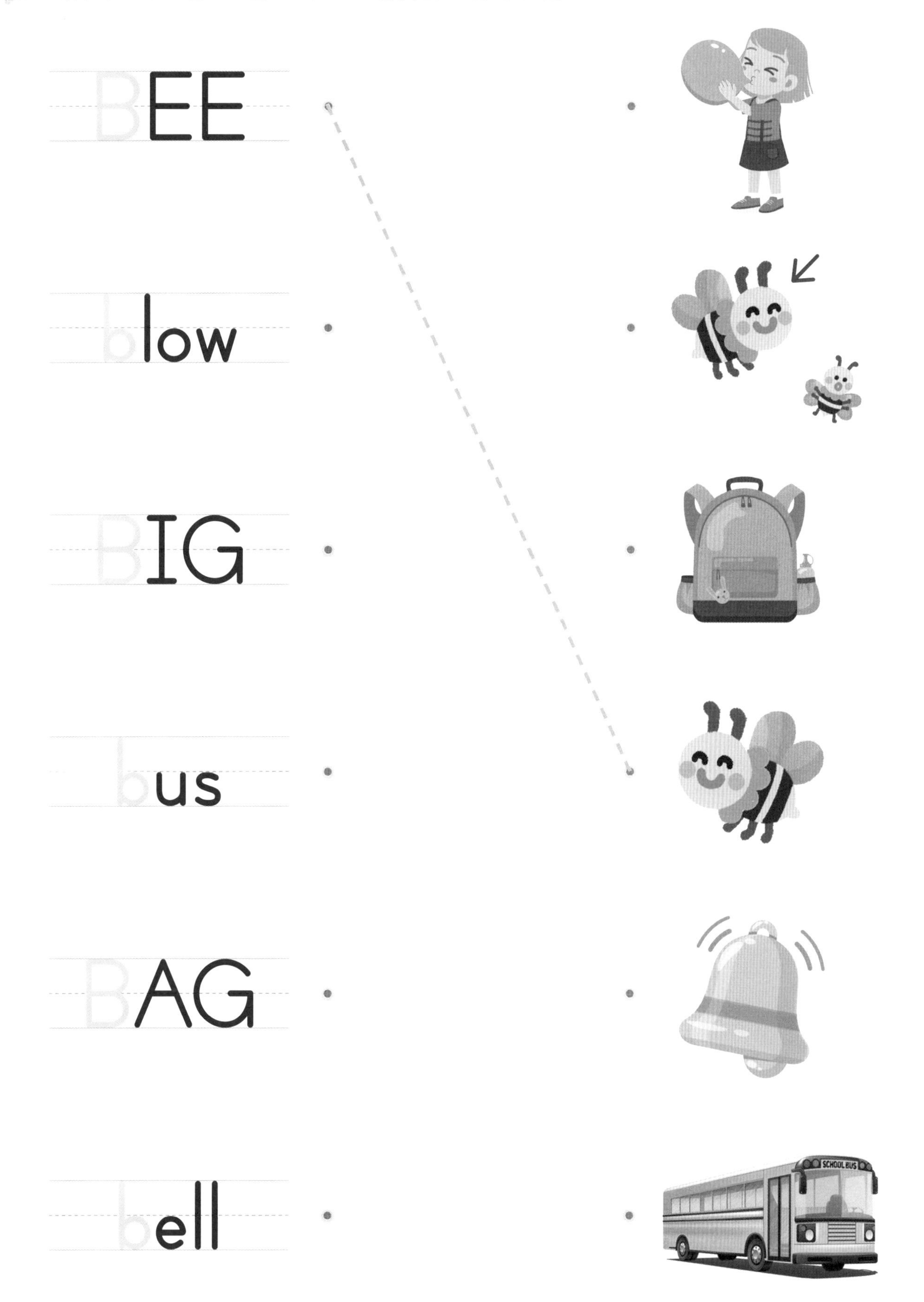

Day 3 월 일

그림을 보고 알맞은 알파벳 스티커를 붙여 보세요.

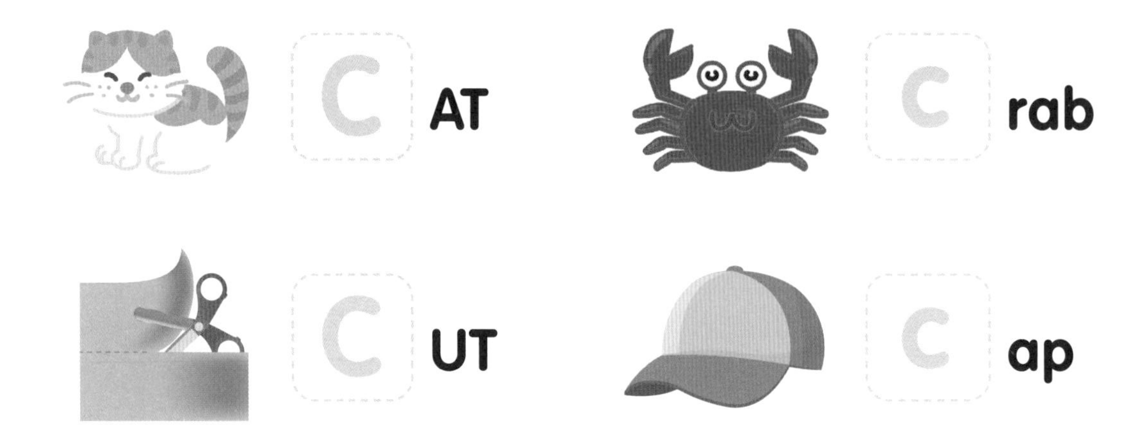

대문자 C와 소문자 c를 순서에 맞게 따라 써 보세요.

단어를 소리 내어 말하고, 첫소리 글자에 색칠한 후 스티커를 붙여 보세요.

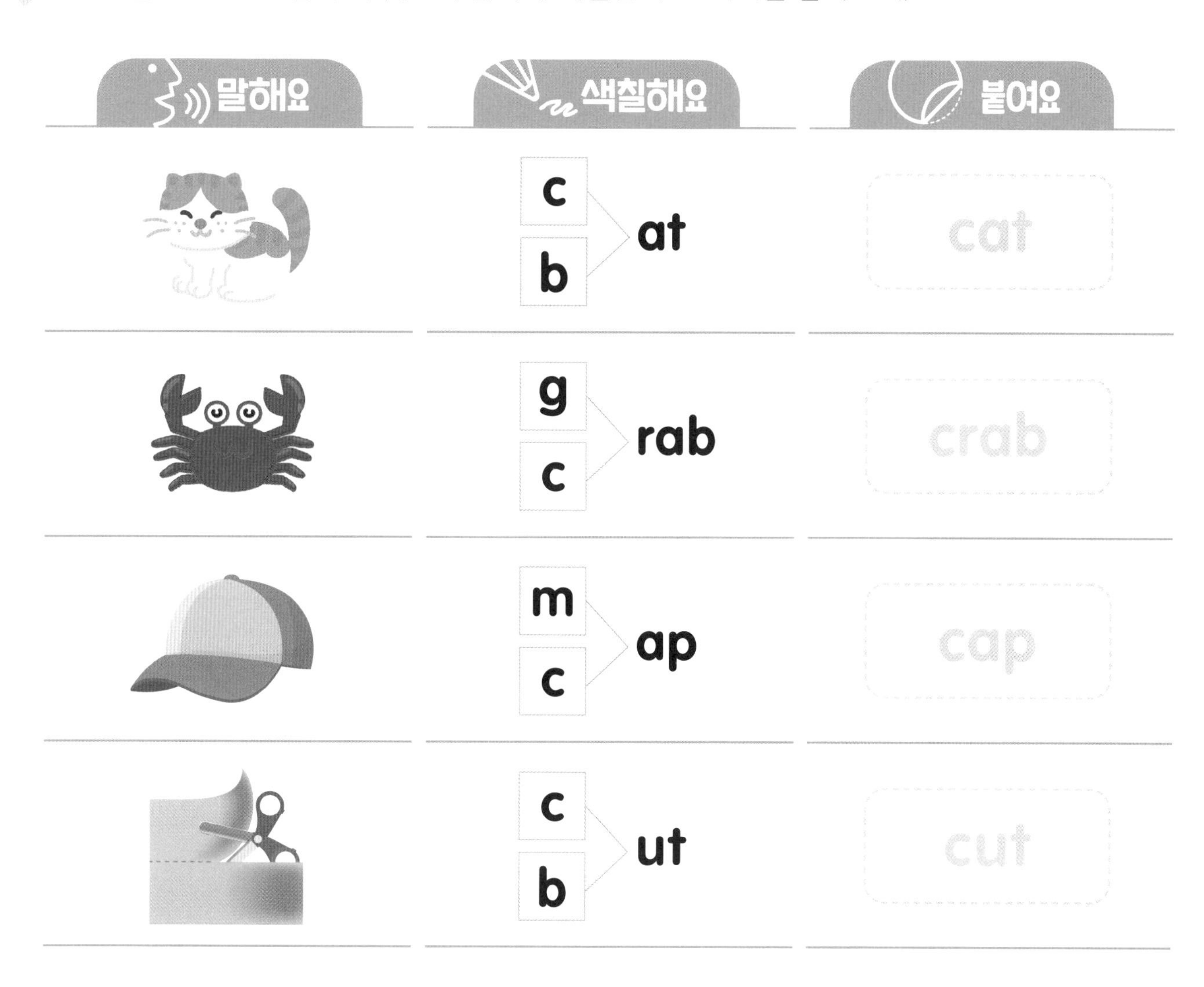

대문자 C와 소문자 c를 따라 써 보세요.

대문자 C를 따라 쓰면서 퍼즐을 완성해 보세요.

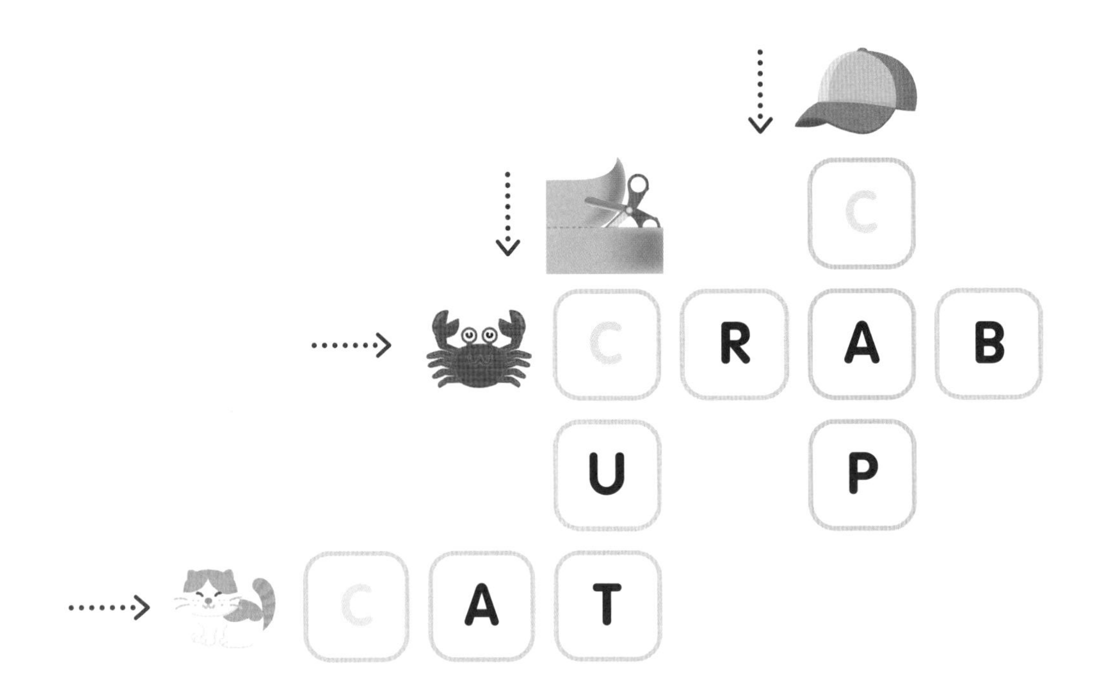

대문자 C와 소문자 c를 따라가며 아기 고양이를 엄마 고양이에게 데려다주세요.

소문자 c를 따라 쓰면서 그림에 알맞은 문장을 완성해 보세요.

A cat has a crab

and a cap.

그림을 보고 알맞은 알파벳 스티커를 붙여 보세요.

대문자 D와 소문자 d를 순서에 맞게 따라 써 보세요.

단어를 소리 내어 말하고, 첫소리 글자에 색칠한 후 스티커를 붙여 보세요.

대문자 D와 소문자 d를 따라 써 보세요.

대문자 D와 소문자 d에 모두 색칠하고 숨어있는 동물을 찾아 보세요.

어떤 동물이 보이나요? 알파벳을 따라 쓰고 정답을 확인해 보세요.

대문자 D와 소문자 d를 따라 쓰고 알맞은 그림과 연결해 보세요.

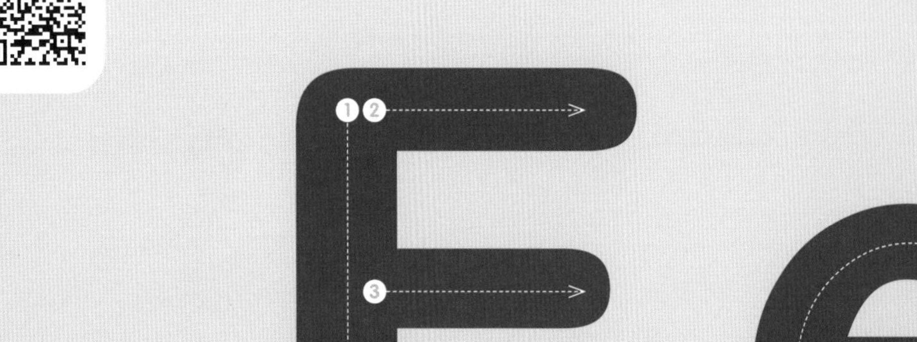

그림을 보고 알맞은 알파벳 스티커를 붙여 보세요.

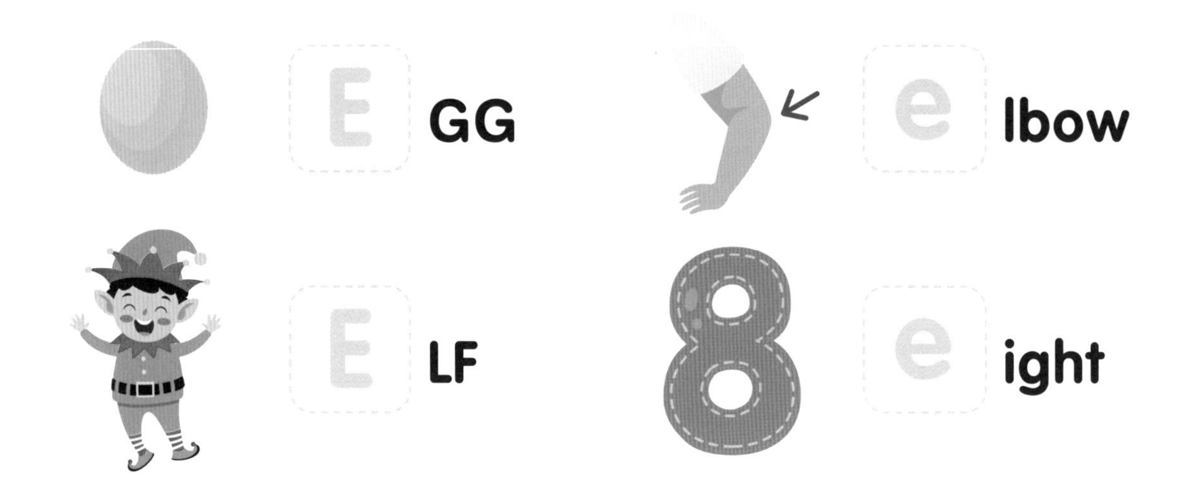

대문자 E와 소문자 e를 순서에 맞게 따라 써 보세요.

단어를 소리 내어 말하고, 첫소리 글자에 색칠한 후 스티커를 붙여 보세요.

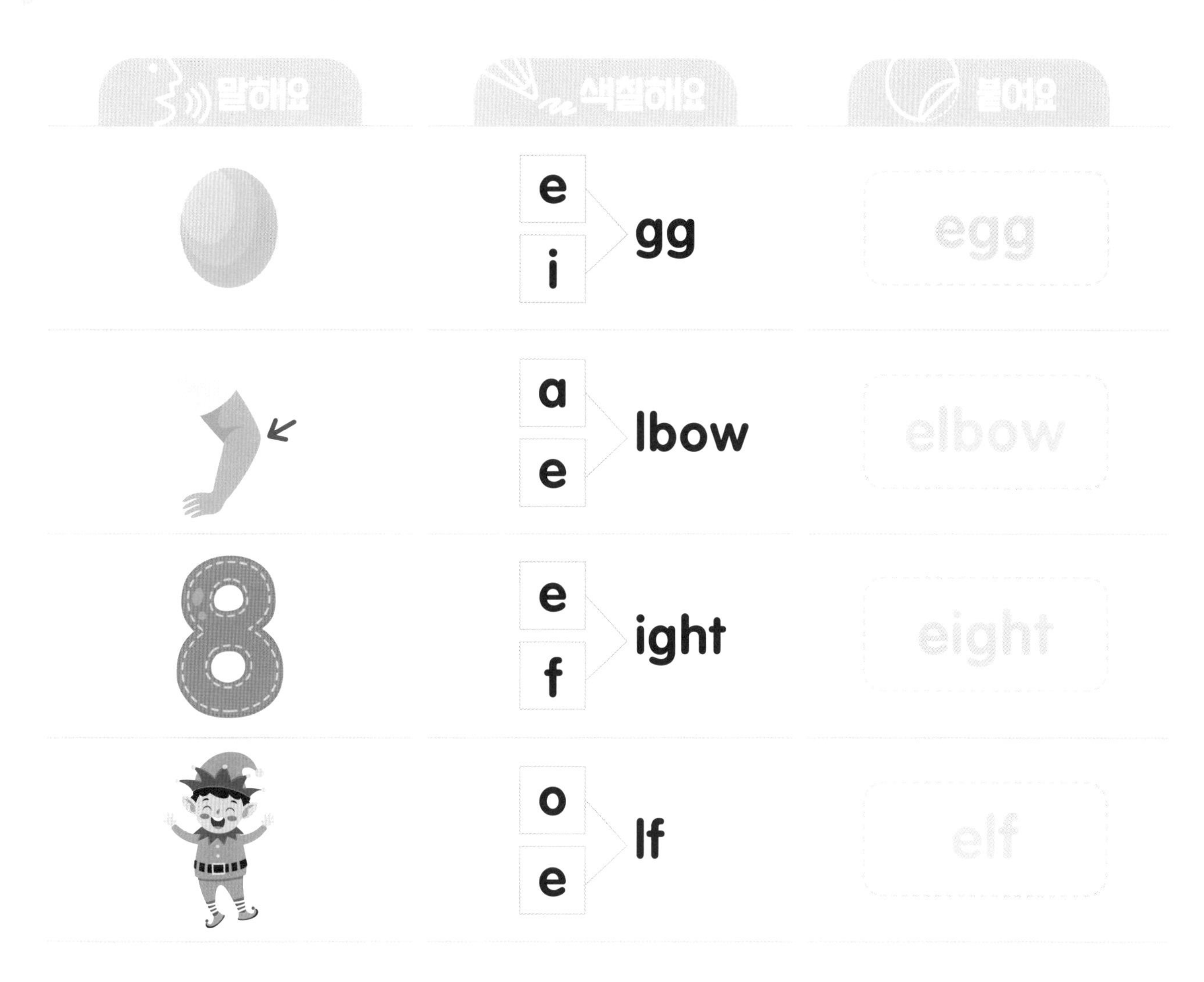

대문자 E와 소문자 e를 따라 써 보세요.

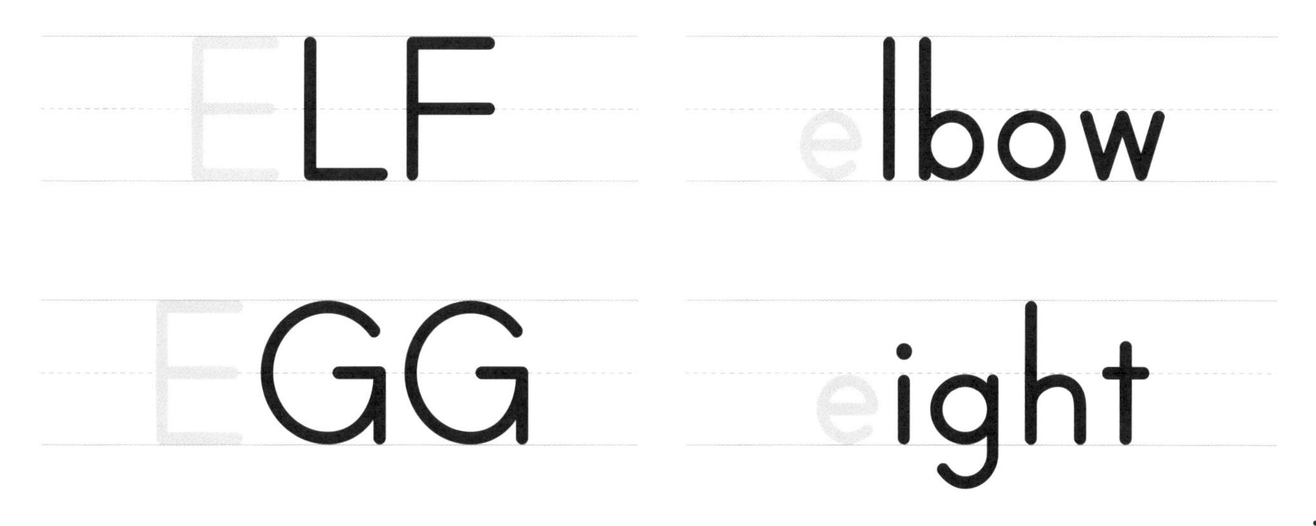

대문자 E와 소문자 e를 바르게 짝지은 것을 모두 찾아 동그라미 해 보세요.

E

C-c E-e

b-B A-a

E-e

D-b E-e

E-b

E-c B-d

대문자 E를 따라 쓰면서 퍼즐을 완성해 보세요.

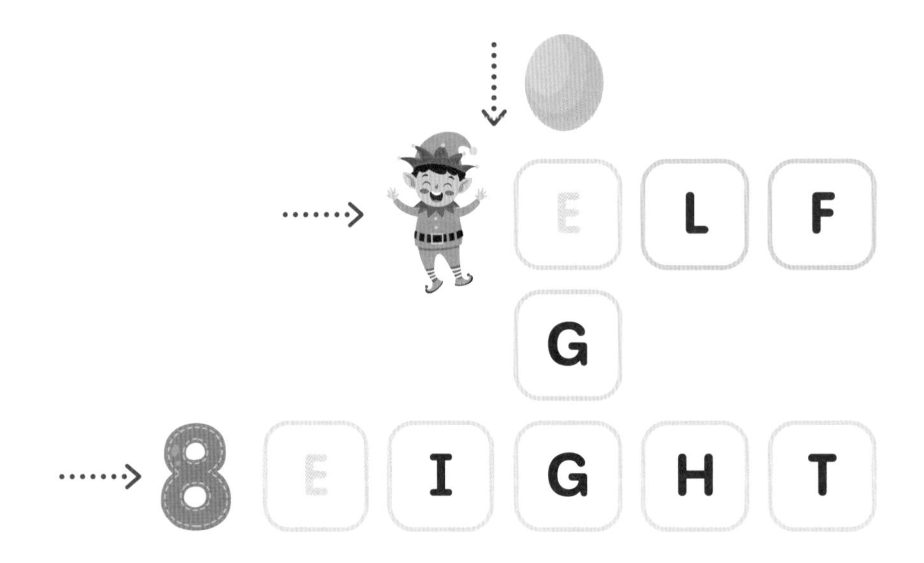

소문자 e를 따라 쓰면서 그림에 알맞은 문장을 완성해 보세요.

An elf eats
eight eggs.

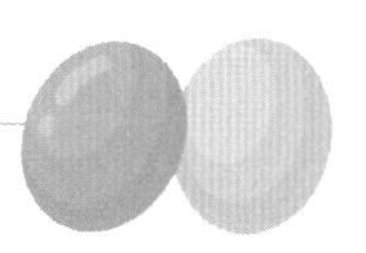

A…E 복습

Day 6　　월　일

 단어의 첫소리를 잘 듣고 알맞은 알파벳 스티커를 붙여 보세요.

  RAB

us

 GG

 OG

 LOW

 ut

 IG

 uck

 ngry

 lf

 ap

 DD

알파벳 Aa~Ee를 따라 쓰고 단어를 소리 내어 읽어 보세요.

단어 속에서 알파벳 Aa, Bb, Cc, Dd, Ee를 찾아 보세요.
Aa에는 ○, Bb에는 □, Cc에는 △, Dd에는 ☆, Ee에는 ♡를 그려 보세요.

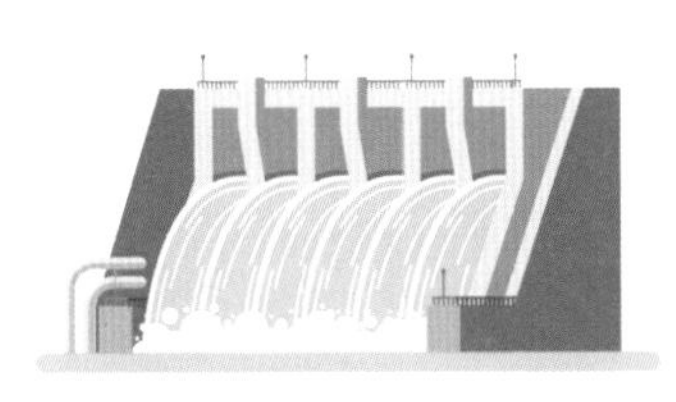

a d d

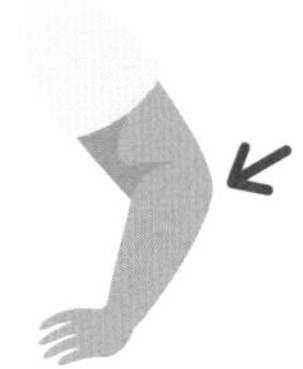

e l b o w

C R A B

D O W N

d u c k

c a t

b l o w

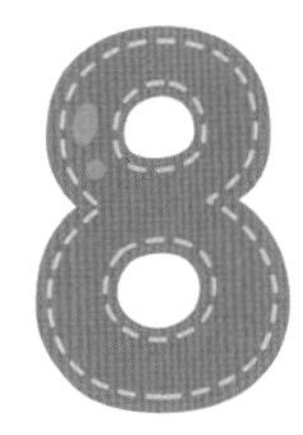

E I G H T

B I G

A N T

알파벳 사이에서 알맞은 단어를 찾아 동그라미 하고 다시 한번 써 보세요.

A…E 복습

Day 7 월 일

 알파벳 사이에서 알맞은 단어를 찾아 동그라미 하고 다시 한번 써 보세요.

cdcabcap

p

dukducku

u k

DABADADB

TCUTUTCU

UT

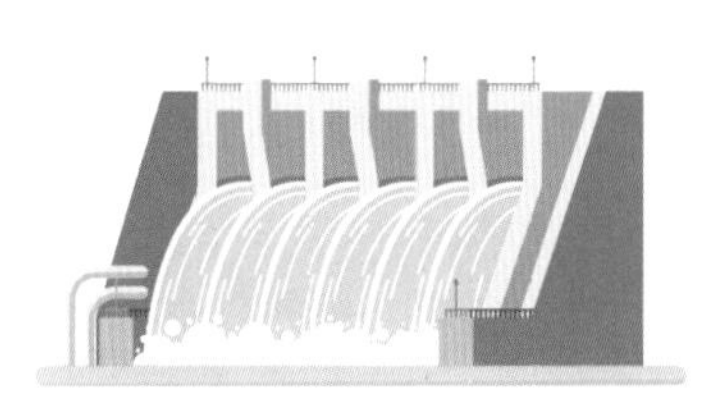

dmaddamd

m

usbsbusu

us

부분과 전체 그림을 연결하고 알맞은 단어를 대문자와 소문자로 써 보세요.

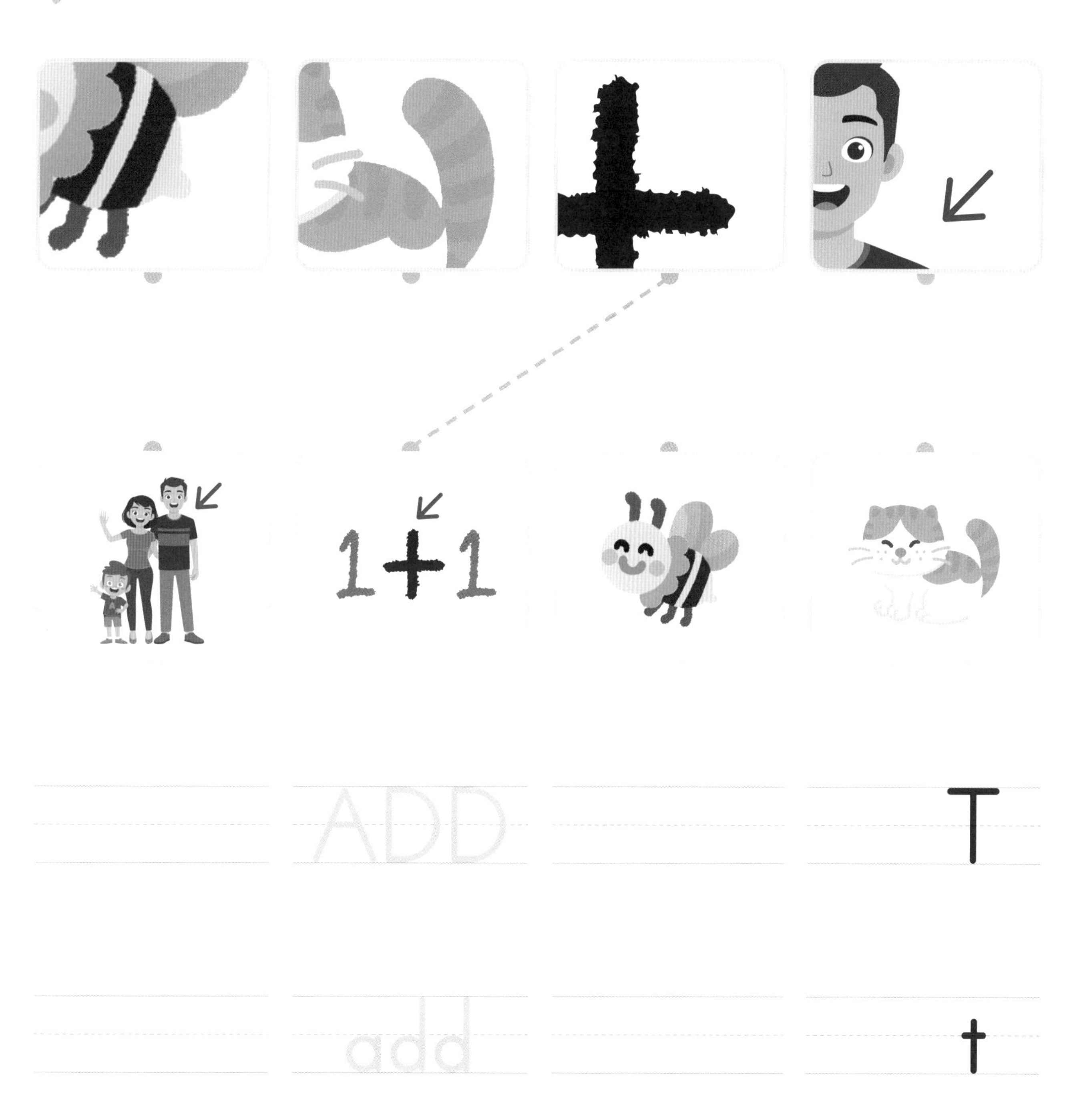

보기 **ADD BLOW BEE ELF CAT DAD**

A ····· E

부분과 전체 그림을 연결하고 알맞은 단어를 소문자와 대문자로 써 보세요.

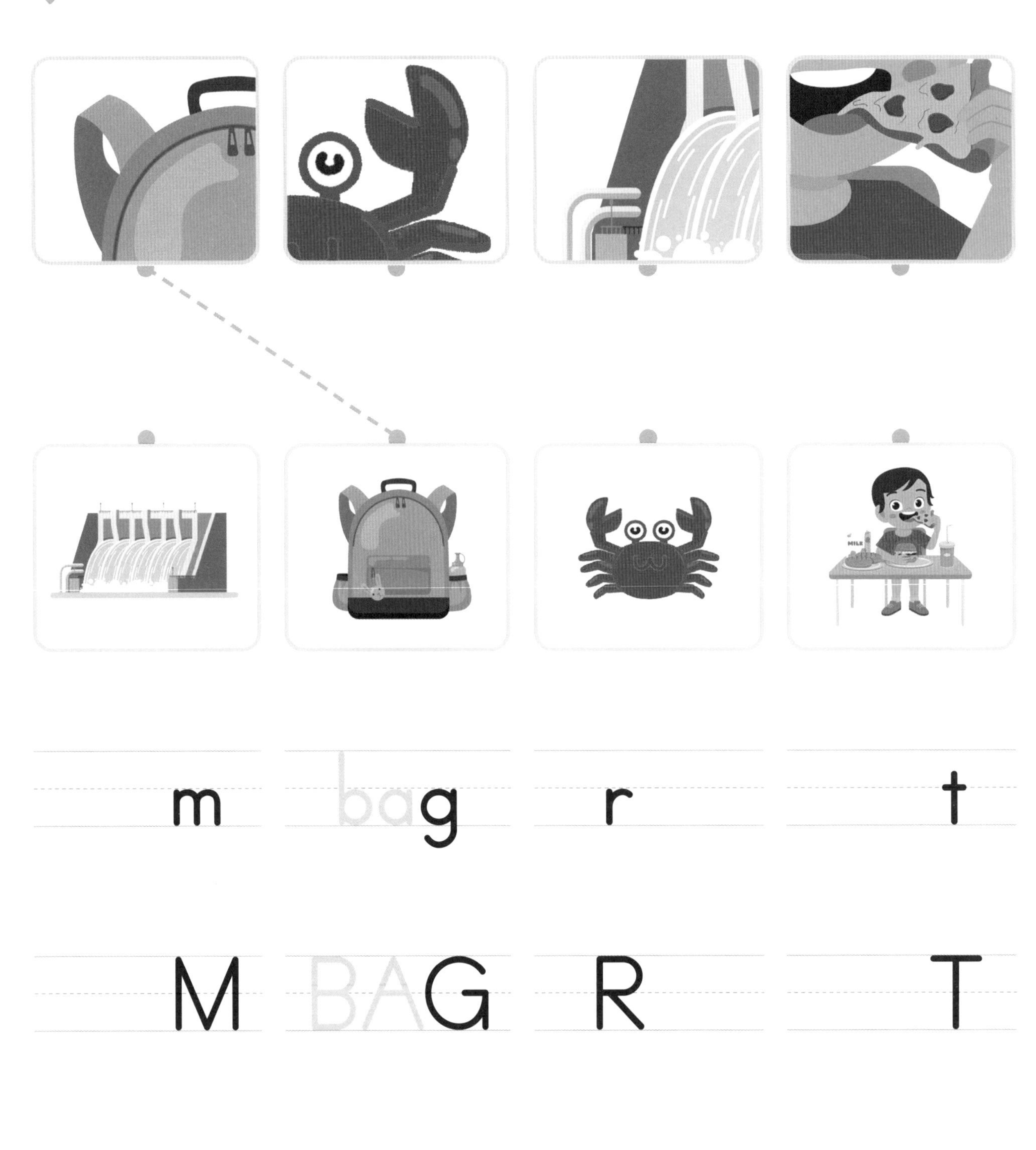

보기

big **ant** **crab** **bag** **eat** **dam**

참 잘 했어요 상

이름 ______________________

위 어린이는 **막 써지는 영어 알파벳** BOOK 1을
훌륭하게 마쳤으므로 이 상장을 주어 칭찬합니다.

년 월 일

효린파파

STICKER

처음 만나는 알파벳, 또박또박 따라 쓰며 알파벳과 친해져요!

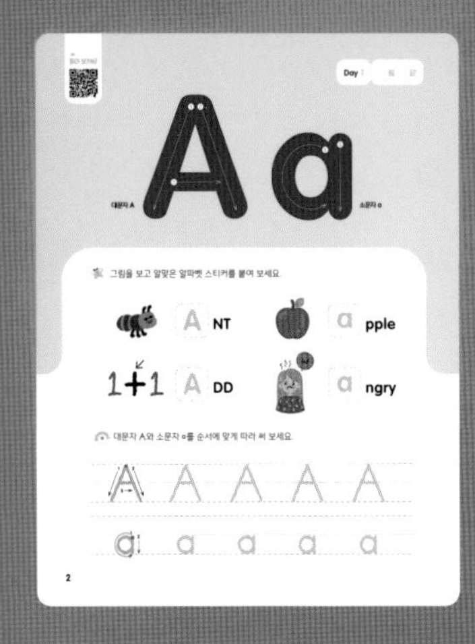

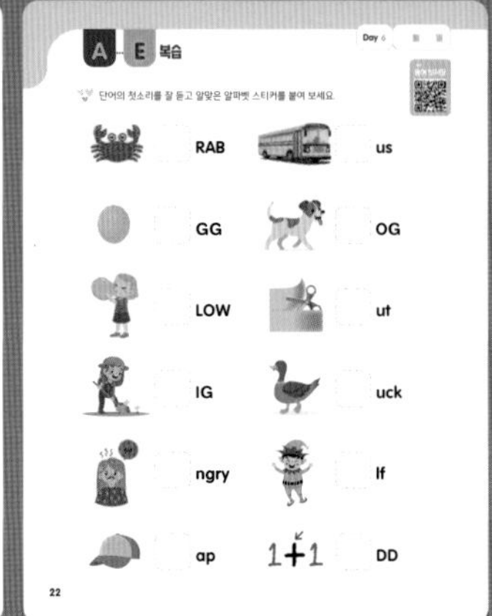

1. 순서에 맞게 따라 쓰며 알파벳 모양을 익혀요!
2. 다양한 놀이와 활동을 통해 재미있게 공부해요!
3. 그림으로 연상하며 영어 단어를 배워요!
4. 알파벳이 쓰인 단어를 문장 속에서도 만나 보아요!
5. QR 코드를 인식해서 정확한 발음을 익혀요!
6. 복습은 필수! 한 주간 배운 내용을 확인해요!

막 써지는 영어 알파벳 BOOK 1~5 (전 5권)

- BOOK 1 알파벳 A~E
- BOOK 2 알파벳 F~J
- BOOK 3 알파벳 K~O
- BOOK 4 알파벳 P~U
- BOOK 5 알파벳 V~Z

효린파파의 영어 교육 가이드 바로 가기

- 인스타그램 @hyorin_papa2
- 유튜브 '효린파파' @hyorinpapa
- 홈페이지 hyorinpapa.com
- 네이버 카페 cafe.naver.com/hyorinpapa

★ 낱권으로는 반품이 불가합니다.

정가 27,500원 (전 5권)
14740
9 791191 343694
ISBN 979-11-91343-69-4
ISBN 979-11-91343-68-7 (세트)

효린파파의

즐겁게 따라 쓰면 저절로 완성되는

막 써지는 영어 알파벳

성기홍(효린파파) 지음

BOOK 2

알파벳 F~J

지은이 • **성기홍(효린파파)**

EBS English 대표 강사이자 효린파파 e어학원 대표로, 12년 동안 중 • 고등학교에서 영어 교사로 활동했다. 효린 • 이준 두 아이의 아빠로서 아이들이 영어에 푹 빠져서 영어를 정말 잘하게 되는 환경을 탐구하고 있다. '효린파파' 인스타그램과 유튜브 채널을 통해 이렇게 터득한 영어 코칭 노하우를 아낌없이 공유하고 있으며, 충분한 노출과 실제 말하기 • 쓰기를 통한 영어 학습법을 다양한 방식으로 실천하며 독자들과 소통하고 있다.

저서

『바빠 초등 영어 일기 쓰기』

『효린파파와 함께하는 참 쉬운, 엄마표 영어』

@hyorin_papa2

효린파파

막 써지는 영어 알파벳 • BOOK 2

초판 발행 2024년 3월 18일

지은이 성기홍
편집 김지혜, 이서현
표지디자인 박새롬
내지디자인 엘림
마케팅 두잉글 사업 본부

펴낸이 이수영
펴낸곳 롱테일북스
출판등록 제2015-000191호
주소 04033 서울특별시 마포구 양화로 113, 3층(서교동, 순흥빌딩)
전자메일 team@ltinc.net

롱테일북스는 롱테일㈜의 출판 브랜드입니다.

ISBN 979-11-91343-70-0 14740

2쪽	F	f	F	f	3쪽	fan	fat	fox	fart
6쪽	G	g	G	g	7쪽	girl	glue	grab	gum
10쪽	H	h	H	h	11쪽	hat	hug	hi	hen
14쪽	I	i	I	i	15쪽	igloo	insect	in	ill
18쪽	J	j	J	j	19쪽	jam	jump	jog	jar

상장에 붙여 보세요